# Re·See·Pic Vol.5 Film

© 오소윤 Saul 허진 박연선 김영희 송원석 신명동, 2018

**1판 1쇄 인쇄** 2018년 8월 10일 | **1판 1쇄 발행** 2018년 8월 20일

**글·사진** 오소윤 Saul 허진 박연선 김영희 송원석 신명동
**기획** 허진 | **디자인** 문지연 | **표지 사진** 김영희

**펴낸이** 허진 | **펴낸곳** 레시픽 | **등록** 2017년 4월 20일(제2017-000044호)
**주소** 서울시 중구 삼일대로4길 19, 2층 | **전화** 070-4233-2012
**이메일** reseepics@gmail.com | **인스타그램** instagram.com/reseepic

**ISBN** 979-11-960943-5-5  04660

# RE · SEE · PIC

Vol.5   Film

# CONTENTS

1

# 혼잣말

오 소 윤

가만히 숨죽여
모든 것이 그것인 대로
스칠 뿐인 나를 눈치채지 못한 채
찰나에 거듭 머물길.


방황하여 마음대로 흔들리지도 못하는 순간
아름다움에 출렁이는 순간
함께임에도 혼자가 되어 헤매는 시간
일상이 문득 다른 결로 다가오는 순간
그 모든 날들에 함께 하길.


나이면서 내가 아니듯
내가 아니지만 결국 나이길.

작은 사진 스토리

# 우연한 사진

2018. 4. 29. 20:53

**2**

# 우연한 사진

Saul

유명한 곳,

하지만 나에게는 일상인 곳.

그 일상 속에서 낯선 느낌이 흐르면

카메라로

느낌을 담는다.


우연의 느낌과

막연한 추억의 기대로…….


rolleiflex original

foma pan 400

foma warmtone fb

무심코 들고나간 카메라.

그 안에 필름은

세상을 바라보는 다른 방법과 느낌으로

나를 바꾼다.

특히나 오래된 카메라들은.


하지만 그것은 세상을 바라봄에 또 다른 자유를 주고,

일상 속에서 만날 수 없는

다른 아름다운 세상을 찾게 한다.


isco tower reflex

ilford hp 400

foma warmtone fb

찍고

현상하고

인화를 한다.


피사체를 보고

현상된 필름 안에서,

다시 약품 안 인화지 속에서,

다시 그 피사체를 만나며 웃는다.


그렇게 조금은 느리게 사진을 하는 것도 나쁘지는 않은 것 같다.


fulvue

foma pan 400

foma warmtone fb

오래된 카메라로
세상을 바라본다.

디지털의 쨍함이나 세련됨은 없지만
그래서 오히려 흔한 일상의 것들이
다른 모습으로 다가온다.

아마도
현재의 모습에
옛날 아련함을 채우는 마법이 있는 것 같다.


lubitel 166
lomography bnw film
foma warmtone fb

덜렁덜렁 든 카메라

슬렁슬렁 세상을 바라보기.


그러다 찾아온 특별한 짧은 순간

별 의미 없이 들었던 카메라가 빛을 발하는 순간.


그 순간을 현상한 필름에서

다시 인화한 사진에서

아련한 추억으로 다시 만난다.


필름 카메라를 사랑하는 이유다.



rolleiflex fw

Ilford hp 400 +1

foma warmtone fb

# 3

## 사진∩시간

허진

마동아파트, 미성유치원, 동부시장, 동북국민학교,

상우맨숀, 동중학교, 약촌오거리, 신일아파트,

사라지거나, 이름이 바뀌거나, 외관이 새로워지거나.

30년 넘도록 그 자리에 있는 울타리는 휘어지고 녹슬었고

새롭게 피어난 꽃과 오래전 사진 속 기억은 생생하고 선명하다.

어린 시절 동네 놀이터에서 형, 누나와 불꽃놀이하는 게 재미있었다.

혼자서는 불도 못 붙이던 꼬꼬마는

형,누나가 하는 건 뭐든 따라하려고 했다.

학교 운동장을 보니,

체육시간 끄트머리에 다 같이 돌멩이를 줍던 생각이 난다.

친구는 축구부가 찬 공에 맞아 잠시 기절했던 이야기를 한다.

국민학생이던 나.

고등학생이던 형.

기억도

추억도

5년의 차이가 느껴진다.

"여기는 여전하네."

"그땐 그랬지."

엄마 아빠가 찍어준 어린시절 사진은

어느덧 기억의 파편이 되어

옛 추억을 떠올리게 해준다.

언젠가 꿨던 꿈처럼.

언젠가는 지금을 추억하는 날이 오겠지.

엄마의 카메라로 흘러가는 시간에 꼬리표를 달아본다.

"철퍽~!!"

4

설탕이
녹는
온도
180℃

박 연 선

피부에 닿는 꽃향기 배인 습기가

사랑스러운 아침.

잘게 부서져 반짝거리는 것들은 전부 좋았다.

두통과 어지럼증이 가득한 밤이 지나고 해가 들어오는 아침은

우주에서 내려온 온갖 달콤한 것들로 반짝이고 있었다.


-겨울 타호에서-

꽃밭에서 한참 놀다 보니 치마에 온통 붉은 꽃들이 배어 있었다.
너에게 물이 든 것인지 꽃에게 물이 든 것인지. 온통 어지러운 붉은빛

어둠이 내리면 더 빛나는 너는
어느 별을 지나와서 이렇게 반짝일까

너는 햇빛에 부서지는 푸른 달빛을 닮았구나…

사람이 가진 생각의 한계는 우주까지라서 그 이상의 단어를 찾을 수가 없어.

우주 너머가 있다면 너는 아마 그 너머에

또 그 너머가 가진 공간만큼의 가치가 있는 존재

-에메랄드 눈을 가진 나의 우주에게-

중력에 끌려 엄청난 어지러움을 느끼며 별을 돌기만 할 뿐이었다.

아마 벗어나려 했어도 그렇게 할 수 없었겠지?


-환각, 얼음 고리-

별이 힘의 균형을 잃어

언젠가는 닿을 수 있기를 간절히 바랐다.

5

프레임

머물고 싶었던 순간들

김 영 희

이웃 나라 온천장 앞 둔덕,
연초록 풀잎에게 '안녕?'
나, 조그맣게 속삭이니
살랑 미소 짓던 어여쁜 이파리

백두산 정상으로부터 가장 가까운 둥그런 밤하늘
둘의 품 안으로 우수수 쏟아져 안기던
큼지막한 별빛의 신비롭고 서늘했던 감동

사알짝 두고 간 풀꽃 목걸이의 수줍음을 헤아리지 못했음이⋯
기억 속에서 느닷없이 걸어 나와 몹시 미안한 마음,
화답의 그리움

전등사 대웅전
도편수가 새겨 넣어 아직도 천장을 떠받들고 있다는
조각상 여인의 표정이 왜 궁금한 건지
그래서 버킷 리스트에 넣어 두었고,

와이키키 해변의 부드러운 모래를 밟으며
'이런 감촉이었겠구나.'
은밀하게 스스로의 상상을 부추겨 보던
발가락의 꼬물거림

그리고, 꾸러미에 담겨진 소소한 기억들은
소멸점의 아련함 때문이었을까?
아끼던 생각과 순간의 정서를 필름에 고스란히 담고 싶은 간절함

존재의 설렘으로 돌아보는 소확행
나의 프레임

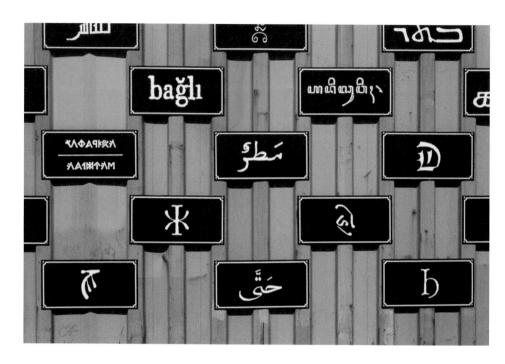

6

# Ich bin der Welt abhanden gekommen

나는 세상에서
잊혀지고

Friedrich Rückert
프리드리히 뤽케르트

송원석

Ich bin der Welt abhanden gekommen,
Mit der ich sonst viele Zeit verdorben.

나는 내가 많은 시간을 허비한 세상에서 잊혀졌네.

Sie hat so lange nicht von mir vernommen,
Sie mag wohl glauben, ich sei gestorben!

세상은 오래도록 나의 소식을 듣지 못했어.
내가 죽었다고 아주 잘 믿고 있겠지.

Es ist mir auch gar nichts daran gelegen, Ob sie mich für gestorben hält,
Ich kann auch gar nichts sagen dagegen, Denn wirklich bin ich gestorben der Welt

세상이 혹시 내가 죽었을 것이라 해도 그것은 나와 아무 상관이 없다네.
나 역시 그렇지 않다고 전혀 말할 수 없어. 나는 정말 이 세상에서 죽었기 때문이지.

Trossingen, Germany 2011

Ich bin gestorben dem Weltgetümmel,
Und ruh' in einem stillen Gebiet!

나는 소란스러운 세상에서 죽었지.
그리고 고요의 영지에서 쉬고 있네.

Donaueschingen, Germany 2011

SLAVA+KATIE "01012011"
ICH LIEBE NUR DICH!
HOFEE DAS DU ES LIEST
DEIN ENGEL!

슬라바+카티 "01012011"
나는 오직 너만을 사랑해!
네가 이것을 읽을 수 있기를 바라며
너의 천사가!

Ich leb' allein in meinem Himmel,
In meinem Lieben, in meinem Lied!


나는 홀로 나의 천국 안에서 살고 있네
나의 사랑 안에서, 나의 노래 속에서

# 7

# Trip to
# Osaka

#Makina67
#MediumFormat
#film
#landscape
#TripToOsaka

**신명동**

"난데 후네데 $%&##:?"
코토상이 물어왔다. 반쯤 알아듣지 못한 오사카 사투리도 있었지만,
구구절절 이유를 대고 답하고 싶지는 않았다.
"왜 배로 오는가?"
코토상이 아이폰 번역기를 보여 주었다.
"글쎄요……."

"왜 필름으로 사진을 찍으세요?"

"글쎄요……."

오 소 윤

"이거다 싶은 순간에
빛과 공기, 향기와 질감,
기분과 느낌 등 그 순간이
제게 만들어준 것들을
남기기 위해 필름 사진을 찍어요.
카메라와 저만 아는 순간들을."

edith.sooh@gmail.com  |  yunscent.com  |  instagram.com/so5yun
Camera_ PENTAX IQZoom700, NIKON F80, CONTAX T2
Film_ ColorPlus200, Vista200, C200

Saul

"올드렌즈를 좋아해서
디지털에 물려서 사용해요.
오래된 필름 카메라가 많이 있는데,
그날 가장 즐거울 것 같은 카메라를
가지고 나옵니다."

saulphoto1976@gmail.com  |  instagram.com/sa_ul_photo
Camera_ fulvue, lubitel, rolleiflex original, rolleiflex fw,tower reflex
Film_ fomapan400, hp400

## 허 진

"제가 갖고 있는 대부분 필름 카메라는
어머니께서 물려주신 거예요.
그중 마지막으로 받은 게 핫셀인데,
어린시절 기억을 이걸로 찍고 싶었어요.
언젠가는 저도 누군가에게
카메라를 물려줄 때가 오겠죠."

lumimaster@gmail.com  |  instagram.com/okiobba
Camera_ Hasselblad 500 C/M  |  Film_ Kodak E100VS

## 박 연 선

"필름은 색이 스치는 느낌이 아니라
석채[石彩] 입자가 하나하나
올려져 있는 거 같아서 재미있어요.
디지털은 순간을 날카롭게 끊어낸다면,
필름은 그보다 조금 긴 시간의 간격을
담아내는 것 같아서 좋아해요."

tinynabi@gmail.com  |  instagram.com/syrupy_p  |  blog.naver.com/tinynabi
Camera_ contaxT3, olympus OM3, nikon FM2
Film_ paradise200, tudor200, kodakgold400, kodakgold100, konica160,
     vista400, cinestill50, Ektar100

# 김 영 희

"쌓아두고 아끼던 생각과 정서를
구상하여 결정적 순간을 포착하는 게
사진의 매력이라 생각합니다.
제게 필름은 사진의 시작과 끝이었고,
암실 작업과 35mm부터 6x6,
파노라마까지 다양한 포멧의 변화는
늘 새로운 즐거움이었습니다."

kboyoung@hanmail.net

**Camera_** Nikon FE, Fujifilm GW690III  |  **Film_** Fujichrome Velvia, Kodak E100VS

# 송 원 석

"필름 한 롤에 72방 찍히는
올림푸스 하프 카메라가
첫 카메라였어요.
그 이후에 콘탁스, 핫셀, 라이카를
사용하게 되었고, 지금도
라이카를 쭉 사용 중이에요.
디지털은 그냥 업무용이죠."

dennisbrain@gmail.com  |  instagram.com/Kammer_Dunkel

**Camera_** Leica M3+Zeiss Opton Sonnar 1:1.5/50mm,
        Rolleiflex SL66+Rollei HFT Planar 1:2.8/80mm,
        Hasselbald 503CX+Carl Zeiss Planar T* 2.8/80mm,
        Contax AX+Carl Zeiss Distagon T* 2.8/25mm
**Film_** Kodak 400TX, Agfa APX400, Ilford HP5, Kodak TMY

신 명 동

"아직까진 중형 필름은
디지털보다 뛰어난 면이 있습니다.
그래서 중형이면서 간편한
마키나67을 사용하고 있습니다.
곧 디지털이 거의 모든 면에서
필름을 뛰어넘을 거라
생각하지만……."

t2p4@naver.com  |  instagram.com/t2p4
Camera_ makina67  |  Film_ FUJI 160NS

여행을 다녀오고 사진만 남은 줄 알았는데,
자세히 보니 사이사이 이야기 꽃이 피었습니다.
다시 보고 싶은 사진책, Re·See·Pic